M A
L U C A

A Promessa do Salmo 23

ALIVIANDO A BAGAGEM
Para as Mães

Traduzido por
Marta Doreto de Andrade

CPAD

Título do original em inglês: *Traveling Light for Mothers*
W Publishing Group, Nashville, TN, USA.
Primeira edição em inglês: 2002

Tradução: Marta Doreto de Andrade
Preparação dos originais: Alexandre Coelho
Adaptação de capa, de projeto gráfico e editoração: Leonardo Marinho

CDD: 242 - Devocional
ISBN: 85-263-0619-7

As citações bíblicas foram extraídas da versão Almeida Revista e Corrigida, edição de 1995, da Sociedade Bíblica do Brasil, salvo indicação em contrário.

Para maiores informações sobre livros, revistas, periódicos e os últimos lançamentos da CPAD, visite nosso site: http://www.cpad.com.br

Casa Publicadora das Assembléias de Deus
Caixa Postal 331
20001-970, Rio de Janeiro, RJ, Brasil

1ª edição/2004

6ª Edição 2008

Às minhas três sobrinhas,

Dana, Michelle, e Allison.

Possa Deus abençoar-lhes a maternidade.

ÍNDICE

"Vinde a mim,
todos os que estais
cansados e oprimidos,
e eu vos aliviarei".

MATEUS 11.28

Um

BOLSA DE MÃE

Nunca cesso de ser surpreendido pelo que uma mãe pode achar em sua bolsa. Há aquelas coisas típicas, como lenços de papel para um nariz entupido, moedas de cinqüenta centavos para máquinas de balas, um cartão da biblioteca para a devolução de um livro. Mas há também aquelas coisas incríveis, como uma bola de praia inflável, um mapa do país inteiro e uma coleção de remédios que podem curar qualquer doença!

Aposto como as mães aprendem desde cedo que devem estar preparadas. Tudo começa com aquela sacola de fraldas com um monte de zíperes e compartimentos para serem cheios, a fim de que mãe nenhuma seja pega desprevenida, quando o vômito (ou outra descarga mais desagradável) arruinar a roupa e ameaçar acabar com o passeio. A começar daí, as mães parecem saber como preparar as mochilas para a escola, as bolsas esportivas para os jogos, as maletas para o acampamento, com toda e qualquer coisa que possa ser necessária.

Bem, eu nunca carreguei uma bolsa, mas nunca fui alguém de viajar sem bagagem.

Eu tentei. Acredite-me, tentei. Porém, desde que levantei três dedos no ar, e fiz o juramento dos escoteiros, prometendo estar preparado, determinei-me a ser exatamente isto: preparado. Preparado para um bar mitzvah, uma apresentação de bebê ou uma festa a rigor. Preparado para saltar de pára-quedas atrás das linhas inimigas, ou entrar numa competição de críquete. E, para o caso de o Dalai Lama estar em meu vôo e convidar-me a jantar no Tibete, carrego raquetes de neve. É preciso estar preparado.

Não sei como viajar sem barras de cereal, sodas, e equipamento de chuva. Não sei como viajar sem lanterna elétrica, um gerador e um sistema de rastreamento global. Não sei como viajar sem uma caixa de isopor com salsichas vienenses. E se eu topar com um churrasco de fundo de quintal? Não levar nada para a festa seria indelicadeza.

Não sei como viajar sem bagagem. Mas preciso aprender.

Preciso aprender a viajar sem bagagem.

Você está se perguntando por que não posso. *Liberte-se!*, você está pensando. *Não se pode aproveitar uma viagem carregando tantas coisas. Por que você simplesmente não larga toda essa bagagem?*

Brincadeira? Você deve estar indagando. E eu gostaria de

"Lançando sobre ele

toda a vossa ansiedade,

porque ele tem

cuidado de vós".

1 PEDRO 5.7

inquirir o mesmo de você. Você também não é famoso por carregar alguns itens desnecessários?

Possivelmente, você o fez esta manhã. Em algum lugar entre o primeiro passo ao sair da cama e o último passo ao sair pela porta, você estufou a sua bolsa. Não era uma bolsa de couro, mas aquela da mente. E você não a encheu com livros, ou *bandaids*, ou guloseimas; você a encheu de encargos. O tipo de encargos que as mães carregam.

A valise da culpa. Um saco de desgosto. Você acomoda a grossa sacola de fadiga sobre um ombro, e pendura a bolsa de aflição no outro. Não admira que você esteja tão cansada ao final do dia. Transportar este tipo de bagagem é exaustivo.

O que você estava dizendo a mim, Deus está dizendo a você: "Arrie a carga. Você está carregando pesos que não tem de suportar".

"Vinde a mim", convida Ele, "todos os que estais cansados e sobrecarregados, e eu vos aliviarei" (Mt 11.28).

Se nós permitirmos, Deus tornará mais leve o nosso fardo. Porém, como permiti-lo? Posso convidar um velho amigo a mostrar-nos? Os primeiros versos do Salmo 23.

> O Senhor é o meu pastor;
> nada me faltará.
> Deitar-me faz em verdes pastos,
> guia-me mansamente às águas tranqüilas.
> Refrigera a minha alma;
> guia-me pelas veredas da justiça
> por amor do seu nome.

Você esteve lotando a bolsa com alguns dos seus encargos? Você acha que Deus pode usar o salmo de Davi para aliviar a sua carga? *Aliviar a bagagem significa entregar a Deus as cargas para as quais você não foi destinada.*

Por que você não tenta viajar sem peso? Tente-o por amor daqueles a quem você ama. Você já considerou o impacto que um excesso de bagagem tem sobre um relacionamento? Temos tratado disto em nossa igreja através de um drama. Encenamos um casamento no qual podemos ouvir os pensamentos do noivo e da noiva. O noivo entra, carregado de bagagens. Um saco pendurado em cada braço e perna. Em cada saco um letreiro: culpa, ira, arrogância, insegurança. Este companheiro está carregado. Enquanto ele se posiciona no altar, o auditório ouve os seus pensamentos: *Finalmente, uma mulher que me ajudará a carregar toda esta bagagem. Ela é tão estável, tão forte, tão...*

Enquanto seus pensamentos prosseguem, os dela começam. Ela entra usando um vestido de noiva, mas assim como o noivo, coberta de bagagens. Puxando uma sacola, uma bolsa a tiracolo, um estojo de maquiagem, um saco de papel – tudo o que você puder imaginar, e cada coisa etiquetada. Ela tem a sua própria bagagem: preconceito, solidão, desapontamentos... E a sua expectação? Ouça o que ela está pensando: *Mais al-*

guns minutos, e eu terei um marido. Nada mais de conselheiros. Nada mais de terapia em grupo. Adeus desencorajamento e preocupações. Nunca mais os verei. Ele vai tratar de mim.

Finalmente, eles põem-se no altar, perdidos numa montanha de bagagens. Eles sorriem um para o outro durante a cerimônia, mas quando são convidados a beijar-se, não o podem fazer. Como abraçar alguém, se os seus braços achamse repletos de fardos?

Por aqueles a quem você ama, aprenda a depor a carga. E por amor ao Deus a quem você serve, faça o mesmo. Você sabe, Ele quer usar você. Porém, como poderá fazê-lo, se você está exausta? Esta verdade atingiu-me ontem à tarde, numa corrida. Preparando-me para correr, eu não podia decidir o que usar. O sol estava de fora, mas o vento estava frio. O céu estava claro, mas havia previsão de chuva. Casaco ou moletom? O escoteiro dentro de mim prevaleceu. Vesti ambos.

"Aliviar a bagagem
significa entregar
a Deus as cargas
para as quais
você não
foi destinada".

BILHETE: DATA:

ALIVIANDO A BAGAGEM

Peguei meu *walkman*, mas não conseguia decidir o que levar. Um sermão ou uma música? Adivinhou. Levei ambos. Precisando estar em contato com as minhas filhas, levei um celular. Para que ninguém roubasse meu carro, embolsei as chaves. Numa precaução contra a sede, levei comigo uma pochete com algum dinheiro para refrescos. Parecia mais um burro de carga que um corredor! Com menos de um quilômetro, eu estava tirando o casaco e escondendo-o num arbusto. Esse tipo de peso diminuía a minha marcha.

O que é verdade em corrida é verdade na fé. Deus tem uma grande corrida para você participar. Sob o cuidado dEle, você irá onde nunca esteve, e servirá de maneiras que jamais imaginou. Contudo, terá de largar alguma coisa. Como você pode partilhar graça, se está cheia de culpa? Como pode oferecer conforto, se está desalentada? Como levantar a carga de alguém, se os seus braços estão carregados com a sua própria?

Por aqueles a quem você ama, viaje sem bagagem.

Pelo Deus a quem você serve, viaje sem bagagem.

Para a sua própria alegria, viaje sem bagagem.

Há certos pesos na vida que você simplesmente não pode carregar. O seu Senhor está lhe pedindo para largá-los e confiar nEle. Ele é o pai que reivindica a bagagem. Quando um pai vê o filho de cinco anos tentando puxar da esteira rolante a mala da família, o que ele diz? O pai dirá ao filho o mesmo que Deus está dizendo a você:

"Largue, filho. Eu a carregarei".

O que você acha de aceitarmos o oferecimento de Deus? Poderíamos simplesmente achar-nos viajando um pouco mais leves.

De qualquer modo, posso ter exagerado sobre a minha bagagem. (Geralmente não carrego raquetes de neve). Mas não posso exagerar sobre a promessa de Deus: "Lançando sobre ele toda a vossa ansiedade, porque ele tem cuidado de vós" (1 Pe 5.7).

Dois

Vou Fazer do Meu Jeito

O fardo da Autoconfiança

O Senhor é o meu pastor.

SALMO 23.1

Se há uma coisa que notei nas mães é que elas parecem saber como cuidar das coisas. Qualquer que seja o problema, elas parecem ser capazes de controlá-lo, limpá-lo, atacá-lo. As mães são desembaraçadas. E às vezes, este desembaraço pode fazer com que acreditem ser autoconfiantes. Elas começam a pensar:

Não preciso de conselhos.

Posso lidar com isto sozinha.

Não preciso de um pastor, obrigada.

Você pode relacionar?

Nós, humanos, gostamos de fazer as coisas do nosso modo. Esqueça o modo fácil. Esqueça o modo comum. Esqueça o modo melhor. Esqueça o modo de Deus. Queremos fazer as coisas do *nosso* jeito.

E, de acordo com a Bíblia, é exatamente este o nosso problema. "Todos nós andamos desgarrados como ovelhas; cada um se desviava pelo seu caminho" (Is 53.6).

Você não pensaria que as ovelhas fossem obstinadas.

"Todos nós andamos desgarrados como ovelhas; cada um se desviava pelo seu caminho".

ISAÍAS 53.6

De todos os animais de Deus, a ovelha é a menos capaz de cuidar de si própria.

As ovelhas são tolas! Você já conheceu um treinador de ovelhas? Já viu ovelhas fazerem truques? Conhece alguém que ensinou sua ovelha a dar cambalhotas? Já assistiu a um show de circo apresentando: "Mazadom e sua ovelha saltadora"? Não. As ovelhas são simplesmente tolas demais.

E indefesas. Elas não possuem presas ou garras. Elas não podem mordê-la nem correr mais que você. É por isto que você nunca vê ovelhas como mascotes de time. Já ouvi falar do St. Louis Rams (Áries de St. Louis), do Chicago Bulls (Touros de Chicago), e do Seattle Seahawks (Falcões Marinhos de Seattle), mas, Ovelhas de Nova York? Quem quer ser uma ovelha? Não se poderia nem mesmo inventar um grito descente para as líderes de torcida.

> Nós somos as ovelhas.
> Não damos um pio.

É problema seu a vitória conseguir.
Mas conte conosco se você quiser dormir.

Além do mais, as ovelhas são sujas. Um gato pode limpar-se. Um cachorro também. Vemos pássaros no banho e ursos no rio. Mas ovelhas? Elas se sujam e ficam assim mesmo.

Davi não poderia ter pensado numa metáfora melhor? Claro que sim. Afinal, ele superou Saul e venceu Golias. Por que não escolheu outra coisa que não ovelhas?

Que tal:

"O Senhor é o meu comandante-em-chefe, e eu sou o seu soldado". Viu só? Preferimos isto. Um soldado ganha um uniforme e uma arma. Talvez, até uma medalha.

Ou, "O Senhor é a minha inspiração, e eu sou o seu cantor". Estamos no coral de Deus; que atribuição lisonjeira.

"O Senhor é o meu rei, e eu sou o seu embaixador". Quem não gostaria de ser um porta-voz de Deus?

"Você quer

realmente

estufar

o peito de

autoconfiança?"

Todos param quando o embaixador fala. Todos escutam quando o menestrel de Deus canta. Todos aplaudem quando o soldado de Deus passa.

Entretanto, quem percebe quando a ovelha de Deus aparece? Quem nota quando a ovelha canta, fala, ou atua? Apenas uma pessoa percebe. O pastor. E para Davi, é precisamente este o ponto principal.

Quando Davi, que era um soldado, um menestrel e um embaixador de Deus, buscou uma ilustração de Deus, veio-lhe à mente os seus dias como pastor. Recordou-se de como dispensava atenção às ovelhas, dia e noite. Ele dormia com elas e velava por elas.

E o modo como ele cuidava das ovelhas lembrou-lhe o modo como Deus cuida de nós. Davi regozijou-se ao dizer: "O Senhor é o meu pastor", e ao fazê-lo, orgulhosamente deu a entender: "Eu sou a sua ovelha".

Ainda se sente desconfortável em ser uma ovelha? Você condescenderia comigo e faria um teste oral simples? Veja se você possui autoconfiança. Levante a mão se alguma das seguintes declarações descreve você:

Você pode controlar o seu ânimo. Você nunca fica amuada ou mal-humorada. Você pode relacionar-se com o Sr. Pessimista e a Sra. Deprimida. Você está sempre otimista e aprumada. Isto descreve você? Não? Bem, vamos tentar novamente.

Você vive em paz com todos. Todos os seus relacionamentos são doces e agradáveis. Até seu antigo namorado fala bem de você. Você ama a todos e é por todos amada. Esta é você? Se não, que tal outra descrição?

Você não tem temores. Você é chamada de Teflon valente. Wall Street afundou – não tem problema. A saúde precária do coração é descoberta – bocejo. Começa a terceira guerra mundial – o que tem para o jantar? Isto descreve você?

"Davi regozijou-se ao dizer: 'O Senhor é o meu pastor', e ao fazê-lo, orgulhosamente deu a entender: 'Eu sou a sua ovelha'".

BILHETE: | DATA:

ALIVIANDO A BAGAGEM

Você não precisa de perdão. Nunca cometeu um erro. É totalmente honesta. Tão limpa quanto a cozinha da vovó. Nunca trapaceou. Nunca mentiu. Nunca mentiu sobre trapacear. Esta é você? Não?

Vamos avaliar isto. Você não pode controlar o seu ânimo. Alguns de seus relacionamentos são instáveis. Você tem temores e faltas. Hmmm. Você quer realmente estufar o peito de autoconfiança? Parece-me que você poderia utilizar um pastor. Caso contrário, você poderá terminar com um Salmo 23 como este:

Eu sou o meu próprio pastor; estou sempre em necessidade.

Cambaleio de shopping em shopping, de psiquiatra em psiquiatra, buscando alívio, mas nunca o encontro.

Arrasto-me pelo vale da sombra da morte e caio em pedaços.

Eu temo qualquer coisa, desde pesticidas a fio elétrico, e estou começando a agir como a minha mãe.

Vou às reuniões semanais do grupo, e acho-me cercada de inimigos.

Vou para casa, e até o meu peixe dourado me faz carranca.

Unjo a minha cabeça com uma dose extra de Tilenol, e o aquário do meu peixinho transborda.

Certamente que a miséria e o infortúnio me seguirão, e eu viverei em autodesconfiança pelo resto de minha vida solitária.

Por que será que aquele que mais precisa de um pastor mais o resiste?

Ah, eis uma questão para a supermãe auto-suficiente. As Escrituras dizem: "Faça do modo de Deus". A experiência aconselha: "Faça do modo de Deus".

E, de vez em quando, nós o fazemos.

"A vida de qualquer não consiste na abundância do que possui".

LUCAS 12.15

Três

A PRISÃO DO QUERER

O Fardo do Descontentamento

O Senhor é o meu pastor; nada me faltará.

SALMO 23

Venha comigo à prisão mais populosa do mundo. A instituição tem mais ocupantes que beliches. Mais prisioneiros que pratos. Mais residentes que recursos.

Venha comigo à prisão mais opressiva do mundo. Pergunte aos ocupantes; eles lhe dirão. Eles acham-se extenuados e subnutridos. Suas paredes são nuas, e as beliches, duras.

Nenhuma prisão é tão populosa, nenhuma é tão opressiva, e, além disso, nenhuma é tão permanente. A maioria dos ocupantes nunca sai. Eles nunca escapam. Nunca são soltos. Eles cumprem uma sentença de vida nesta instituição abarrotada e mal-provida.

O nome da prisão? Você o verá na entrada. Em forma de arco, acima do portão, seis letras de ferro fundido expressam-lhe o nome:

Q-U-E-R-E-R

A prisão do querer. Você tem visto seus prisioneiros. Eles estão "em querer". Eles querem alguma coisa. Querem algo maior. Mais bonito. Mais rápido. Mais magro. Eles querem.

Eles não querem muito, objeta você. Querem apenas uma coisa. Um novo emprego. Um carro novo. Uma nova casa. Um novo cônjuge. Eles não querem muito. Querem apenas um.

E quando eles tiverem "um", serão felizes. E eles estão certos – serão felizes. Quando eles tiverem "um", sairão da prisão. Então acontece outra vez. O cheiro de carro novo passa. O novo emprego fica velho. O vizinho compra uma televisão maior. O novo cônjuge possui maus hábitos. As expectativas goram, e antes que se perceba, outro ex-condenado quebra a liberdade condicional e retorna à cadeia.

Você está na prisão? Está, caso sinta-se melhor quando tem mais, e pior quando tem menos. Se o contentamento é uma entrega remota, uma transferência distante, um prêmio ao longe, ou uma renovação afastada; se a sua felicidade vem de algo que você deposita, dirige, bebe ou digere, encare os fatos – você está na prisão, a prisão do querer.

"O contentamento vem quando podemos,

honestamente, dizer como Paulo:

'Já aprendi a contentar-me com o que tenho...

Estou instruído, tanto a ter fartura como a ter fome,

tanto a ter abundância quanto a padecer necessidade'"

(Fp 4.11,12).

Esta é a má notícia. A boa é: você tem uma visita. E a sua visita tem uma mensagem que pode pô-la em liberdade. Percorra o caminho até a recepção. Sente-se em sua cadeira, e olhe para o salmista Davi do outro lado da mesa. Ele acena para que você se incline à frente. "Tenho um segredo para você", cochicha ele, "o segredo da satisfação: O Senhor é o meu pastor; nada me faltará" (Sl 23.1).

Davi encontrou a pastagem onde os descontentes vão morrer. É como se ele estivesse dizendo: "O que tenho em Deus é maior que o que não tenho na vida".

Acha que você e eu poderíamos aprender a dizer o mesmo?

Pense por um momento nas coisas que você possui. Pense na casa que você tem, no carro que você dirige, no dinheiro que você guardou. Pense nas jóias que herdou, nas ações que negociou, e nas roupas que comprou. Visualize todos os seus bens, e deixe-me dizer-lhe duas verdades bíblicas:

Seus bens não são seus. Pergunte a qualquer juiz investigador de mortes suspeitas. Pergunte a qualquer embalsamador. Pergunte a qualquer diretor de casa funerária. Ninguém leva nada consigo. Quando John D. Rockefeller, um dos homens mais ricos da história, morreu, seu contador foi interrogado: "Quanto John deixou?" A resposta do contador: "Tudo!"[1]

"Como saiu do ventre de sua mãe, assim nu voltará, indo-se como veio; e nada tomará do seu trabalho que possa levar na sua mão" (Ec 5.15).

De todos estes bens, nada é seu. E sabe o que mais sobre estes bens? *Eles não são você.* Quem você é não tem nada a ver com as roupas que usa ou com o carro que dirige. Jesus avisou: "A vida de qualquer não consiste na abundância do que possui" (Lc 12.15). Deus não conhece você como a mulher com a casa grande. Deus conhece o seu coração. "O Senhor não vê como vê o homem. Pois o homem vê o que está diante dos olhos, porém o Senhor olha para o coração"

"O que você tem

no seu Pastor

é maior do que

o que você não

tem na vida".

BILHETE:

DATA:

A L I V I A N D O   A   B A G A G E M

(1 Sm 16.7). Quando Deus considera sobre você, Ele pode ver a sua compaixão, sua devoção, sua brandura, ou agudeza mental, mas não pensa em suas coisas.

E quando você reflete sobre si, deveria fazer o mesmo. Defina a si mesma pelo que possui, e sentir-se-á bem quando tiver muito, e mal, quando não tiver. O contentamento vem quando podemos, honestamente, dizer como Paulo: "Já aprendi a contentar-me com o que tenho... Estou instruído, tanto a ter fartura como a ter fome, tanto a ter abundância quanto a padecer necessidade" (Fp 4.11,12).

Doug McKnight podia dizer estas palavras. Aos trinta e dois anos, recebeu o diagnóstico de esclerose múltipla. Pelos próximos dezesseis anos isto lhe custaria a sua carreira, a sua mobilidade e eventualmente a sua vida. Por causa da doença, ele não podia alimentar-se sozinho ou andar; lutou com a depressão e o medo. Contudo, do começo ao fim, Doug nunca perdeu o senso de gratidão. Isto era evidente em sua lista de oração. Amigos de sua congregação pediram-lhe para compilar uma lista de pedidos, e assim poderem orar por ele. Sua resposta incluía dezoito bênçãos pelas quais agradecer, e seis assuntos pelos quais orar. Suas bênçãos excediam três vezes as suas necessidades. Doug McKnight havia aprendido a estar contente.[2]

De igual modo aprendera a leprosa da ilha de Tobago. Um missionário conheceu-a numa de suas viagens. No final do dia, ele estava liderando a adoração numa colônia de leprosos, e indagou se alguém tinha uma canção favorita. Foi então que uma mulher voltou-se, e ele viu a face mais desfigurada que jamais vira. Ela não tinha orelhas nem nariz. Seus lábios já não existiam. Contudo, ela levantou uma das mãos sem dedos e pediu: "Poderíamos cantar 'Conta as bênçãos?'"

O missionário começou a canção, mas não pôde terminá-la. Mais tarde, alguém comentou: "Suponho que você nunca

"Você tem um Deus que o escuta;
tem o poder do amor
atrás de você, o Espírito Santo
dentro de você, e todo
o céu à sua frente".

mais será capaz de cantar este hino". Ao que ele respondeu: "Não, eu o cantarei novamente. Mas nunca mais da mesma forma".[3]

Você está esperando que uma mudança nas circunstâncias traga uma mudança à sua atitude? Se assim é, você está na prisão, e precisa conhecer um segredo sobre viajar sem bagagem: *O que você tem no seu Pastor é maior do que o que você não tem na vida.*

Posso intrometer-me por um instante? Qual é a única coisa que separa você da alegria? Como você completaria a frase: "Serei feliz quando ________________________________"? Quando eu for curada. Quando for promovida? Quando me casar. Quando ficar solteira. Quando for rica. Como você completaria esta declaração?

Agora, com a sua resposta firme na mente, responda esta: se você nunca tirar a sorte grande, se o seu sonho nunca se tornar realidade, se a situação nunca mudar, poderá você ser feliz? Se não, você está dormindo na cela fria do descontentamento. Você está na prisão. E você precisa saber o que você tem no seu Pastor.

Você tem um Deus que a escuta; tem o poder do amor atrás de você, o Espírito Santo dentro de você, e todo o céu à sua frente. Se você tem o Pastor, também possui graça para cada pecado, direção para cada curva, luz para cada canto, e uma âncora para cada tempestade. Você tem tudo o que precisa.

E quem poderá tirá-lo de você? Pode a leucemia infectar-lhe a salvação? Pode a bancarrota empobrecer-lhe as orações? Um tornado pode levar-lhe a casa terrena, mas, tocaria ele o seu lar celestial?

E olhe para a sua posição. Por que o clamor por prestígio e poder? Você já não se sente privilegiado por ser parte da maior obra da história – levar a próxima geração a amar e servir a Deus?

"É grande ganho

a piedade

com o contentamento".

1 TIMÓTEO 6.6

Certa vez um homem foi pedir conselho a um pastor. Achava-se ele no meio de um colapso financeiro. "Perdi tudo", lamentou o homem.

"Oh, estou tão triste por você haver perdido a sua fé".

"Não", corrigiu o homem, "não perdi a minha fé".

"Bem, então sinto muito por você ter perdido o caráter".

"Eu não disse isto", tornou ele a corrigir. "Ainda tenho o meu caráter".

"Que pena você haver perdido a sua salvação".

"Não foi isto o que eu disse", objetou o homem. "Não perdi a minha salvação".

"Você tem a sua fé, o seu caráter, a sua salvação. Parece-me", observou o ministro, "que você não perdeu nenhuma das coisas que realmente importam".

Nem nós as perdemos. Você e eu poderíamos orar como o

puritano. Ele sentava-se para uma refeição de pão e água, curvava a cabeça e dizia: "Tudo isto, e Jesus também!"

Não podemos estar igualmente satisfeitos? Paulo declarou que "é grande ganho a piedade com o contentamento" (1 Tm 6.6). Quando entregamos a Deus o incômodo fardo do descontentamento, não apenas desistimos de algo, mas ganhamos alguma coisa. Deus o substitui por um que seja leve, feito sob medida, à prova de tristeza e adicto à gratidão.

O que você ganhará com o contentamento? Poderá ganhar o seu casamento. Poderá ganhar horas preciosas com os seus filhos. Poderá ganhar o seu respeito próprio. Poderá ganhar alegria. Poderá ganhar a fé para dizer: "O Senhor é o meu Pastor; nada me faltará".

Tente dizê-lo bem devagar: "O Senhor é o meu pastor; nada me faltará".

Novamente: "O Senhor é o meu pastor; nada me faltará".

Shhhh. Ouviu alguma coisa? Acho que ouvi. Não tenho certeza... mas acho que ouvi a porta de uma prisão se abrindo.

Quatro

EU LHE DAREI DESCANSO

O Fardo do Cansaço

Deitar-me faz em verdes pastos.

SALMO 23.2

Mãe, o título deste capítulo a fez recobrar-se mais rapidamente que o seu café da manhã? Espero que sim, porque aposto como você poderia ter um pequeno descanso justamente agora. No momento em que a casa estiver agitada, e as crianças, correndo; no

"Tu conservarás
em paz
aquele cuja mente
está firme em ti".

ISAÍAS 26 .3

momento em que as contas estiverem pagas, e as refeições feitas, e a vida começar a parecer ordeira, começará tudo de novo. Você precisa de uma pausa, não precisa? Você não é a única. Leia as conseqüências da carga, e então adivinhe a causa:

- Ela aflige setenta milhões de americanos, e é culpada de 38.000 mortes por ano.

- A condição custa, anualmente, os U.S.$70 bilhões de dólares equivalentes à produtividade.

- Adolescentes sofrem deste mal. Os estudos revelam que 64% dos adolescentes responsabilizam-na pelo baixo rendimento escolar.

- Pessoas de meia idade a enfrentam. Os pesquisadores afirmam que os casos mais severos ocorrem entre trinta e quarenta anos.

- Cidadãos mais velhos são afligidos por ela. Um estudo sugere que a condição atinge 50% da população com mais de sessenta e cinco anos.

- Os tratamentos envolvem desde vigilantes do peso a chás de ervas.[1]

Alguma idéia do que está sendo descrito?

Abuso de substância química? Divórcio? Sermões longos? Nenhuma destas respostas está correta, embora a última seja uma boa intuição. A resposta pode surpreender você. Insônia. A América não pode dormir.

Durante a maior parte da minha vida, eu secretamente ri da idéia de se ter dificuldade para dormir. Meu problema era não cair no sono. Minha dificuldade era permanecer acordado. Há alguns anos, porém, fui para a cama certa noite, fechei os olhos,

"Diminua o ritmo, e Deus

curará você. Ele trará

descanso à sua mente,

ao seu corpo, e,

acima de tudo,

à sua alma".

e nada aconteceu. Não peguei no sono. Em vez de reduzir a marcha e entrar em descanso, minha mente engrenou. Mil e uma obrigações vieram-me à cabeça. A meia-noite passou, e eu ainda acordado. Tomei um pouco de leite e voltei à cama. Continuei desperto. Acordei Denalyn, usando a mais premiada das perguntas tolas: "Você está acordada?" Ela disse-me para deixar de pensar nas coisas. Eu o fiz. Parei de pensar nas coisas e comecei a pensar nas pessoas. Não obstante, enquanto pensava nas pessoas, pensava no que elas estavam fazendo. Estavam dormindo. Aquilo me deixou bravo e manteve-me acordado. Finalmente, lá pelas tantas da madrugada, havendo sido introduzido na associação de setenta milhões de americanos insones, adormeci.

Nunca mais ri à idéia de se ter dificuldade em dormir. Nem mais questionei a inclusão do versículo sobre descanso no Salmo 23.

Pessoas com trabalho demais e sono de menos apressam-se para a bagagem da vida, e agarram o fardo do cansaço. Este você não carrega. Este você não levanta sobre os ombros e caminha pelas ruas. Você o arrasta como se fora um obstinado São Bernardo. Cansaço e fadiga.

Por que estamos tão cansados? Você tem lido o jornal ultimamente? Ambicionamos ter a vida de Huckleberry Finn e Tom Sawer no Mississipi, mas olhe para nós sobre as águas brancas do rio Grande. Bifurcações no rio. Rochas na água. Ataques cardíacos, traições, débitos no cartão de crédito, batalhas por custódia. Huck e Tom não têm de enfrentar este tipo de coisa. Nós temos, e elas mantêm-nos acordados. E já que não podemos dormir, temos um segundo problema.

Nossos corpos estão cansados. Pense a respeito. Se setenta milhões de americanos não estão dormindo o suficiente, o que isto significa? Que um terço de nosso país está sonolento no trabalho, cochilando durante a aula, ou dormindo ao volante

““Seis dias trabalharás

e farás toda a tua obra,

mas o sétimo dia

é o sábado do Senhor,

teu Deus”.

ÊXODO 20.9

(1500 mortes na estrada, por ano, são causadas por motoristas sonolentos). Alguns cochilam até quando lêem os livros de Lucado (Difícil penetrar, eu sei). Trinta toneladas de aspirinas, tranqüilizantes e pílulas para dormir são consumidas a cada dia![2] O medidor de energia no painel de nossa testa anuncia: vazio.

Se convidássemos um alienígena para resolver nossos problemas, e ele sugerisse uma solução simples: vá todo mundo dormir, nós riríamos dele. Ele não entende o modo como trabalhamos. Trabalhamos duro. Há dinheiro a ser ganho. Graus a serem conquistados. Degraus a serem galgados. Em nossa cartilha, ocupação está ligada à religiosidade. Idolatramos Thomas Edson, que alegava poder viver com quinze minutos de sono. De algum modo, esquecemos de mencionar Albert Einstein, que tirava, em média, onze horas de sono por dia.[3] Em 1910, os americanos dormiam nove horas por dia; hoje, dormimos sete, e sentimo-nos orgulhosos disto. E estamos cansados por causa disto. Nossas mentes estão cansadas. Nossos corpos estão cansados. Porém, muito mais grave, nossas almas estão cansadas.

Somos criaturas eternas, e fazemos perguntas eternas: De onde vim? Para onde vou? Qual o significado da vida? O que é certo? O que é errado? Há vida após a morte? Estas são as indagações primordiais da alma. E, deixadas sem respostas, tais questões roubarão nosso descanso.

Apenas uma outra criatura tem tantos problemas quanto nós sobre o descanso. Não os cachorros. Eles cochilam. Não os ursos. Eles hibernam. Os gatos inventaram a soneca, e o bicho preguiça descansa vinte horas por dia. (Então é isto o que eu era em meu segundo ano de faculdade). A maioria dos animais sabe como descansar. Existe apenas uma exceção. Estas criaturas são lanosas, simplórias e vagarosas. Não, não são maridos em dias de sábado. Ovelhas! Ovelhas não conseguem dormir.

"Você pode imaginar a satisfação no coração do pastor quando, com o trabalho terminado, vê suas ovelhas descansar no gramado tenro?"

BILHETE:

DATA:

Para uma ovelha dormir, tudo precisa estar muito bem. Nada de predadores. Nenhuma tensão no rebanho. Nenhum inseto no ar. Nenhuma fome no estômago.[4] Tudo tem de estar perfeito.

Infelizmente, ovelhas não conseguem achar pastos seguros. Nem podem passar inseticida, lidar com os atritos, ou encontrar comida. Elas precisam de ajuda. Precisam de um pastor que "as guie" e as ajude a "deitar em pastos verdes". Sem um pastor, elas não podem descansar.

Sem um pastor, nem nós podemos.

No segundo verso do Salmo 23, Davi, o poeta, torna-se Davi, o artista. Sua pena vira um pincel, seu pergaminho, uma tela, e as suas palavras pintam um quadro: um rebanho de ovelhas deitadas sobre as patas, rodeando um pastor. Os ventres aninhados na grama alta. Uma lagoa quieta de um lado, o pastor vigilante do outro. "Deitar-me faz em verdes pastos, guia-me mansamente a águas tranqüilas" (Sl 23.2).

Atente para os dois pronomes ocultos antes do verbo. *Ele* deitar-me faz... *Ele* guia-me...

Quem é o ativo? Quem está no comando? O pastor. O pastor escolhe a trilha e prepara a pastagem. O trabalho da ovelha – nosso trabalho – é olhar para o pastor. Com os olhos em nosso Pastor, seremos capazes de tirar uma soneca. "Tu conservarás em paz aquele cuja mente está firme em ti" (Is 26.3).

Posso mostrar-lhe algo? Corra ao final deste livro e olhe para uma página vazia. Enquanto olha para ela, o que você vê? Você vê um pedaço de papel em branco. Agora faça um ponto no centro da folha. Olhe novamente. O que você vê agora? Você vê o ponto, não é? E não é este o nosso problema? Nós deixamos as marcas escuras eclipsar o espaço branco.

Nós vemos as ondas da água, em vez de o Salvador andando sobre elas. Focalizamos nossa irrisória provisão, em vez de olhar para aquEle que pode alimentar cinco mil pessoas famintas.

Concentramo-nos na escura sexta-feira da crucificação, e perdemos o brilhante domingo da ressurreição.

Mude seu foco e relaxe.

E enquanto relaxa, mude sua agenda e descanse!

Outro dia, minha esposa encontrou uma amiga num restaurante para um café. Ambas entraram no estacionamento ao mesmo tempo. Quando Denalyn desceu do carro, viu sua amiga acenando. Denalyn achou que ela estivesse falando alguma coisa, mas não podia ouvir uma palavra. Uma britadeira triturava o pavimento a apenas alguns passos dali. Ela caminhou até a amiga, que, pelo jeito, estava somente dizendo oi, e ambas entraram no restaurante.

À hora de sair, minha esposa não conseguia encontrar as chaves. Procurou-as na bolsa, no chão, e no carro da amiga. Finalmente, ao entrar no próprio carro, lá estavam elas. Não apenas as chaves estavam na ignição, mas o carro estava ligado. Ele estivera ligado o tempo todo em que elas permaneceram no café.

Denalyn culpou o barulho pelo descuido. "Estava tudo tão barulhento, que me esqueci de desligá-lo".

O mundo faz assim. A vida pode ser tão barulhenta que nos esquecemos de fechá-la. Talvez seja por isto que Deus tratou de forma tão enfática o descanso nos Dez Mandamentos.

Já que você foi tão bem no exercício do ponto, deixe-me passar-lhe outro. Das dez declarações entalhadas nas tábuas, qual ocupa mais espaço? Assassinato? Adultério? Roubo? Você achará que sim. Certamente, cada uma é merecedora de ampla cobertura. Porém, curiosamente, estes mandamentos são tributos à brevidade. Deus precisou apenas de duas palavras, no português, para condenar o adultério, bem como para denunciar o furto e o assassinato.

Mas quando chegou ao tópico do descanso, uma sentença não seria suficiente.

> Lembra-te do dia do sábado, para o santificar. Seis dias trabalharás e farás toda a tua obra, mas o sétimo dia é o sábado do Senhor, teu Deus; não farás nenhuma obra, nem tu, nem o teu filho, nem a tua filha, nem o teu servo, nem a tua serva, nem o teu animal, nem o teu estrangeiro que está dentro das tuas portas. Porque em seis dias fez o Senhor os céus e a terra, o mar e tudo que neles há, e ao sétimo dia descansou; portanto, abençoou o Senhor o dia do sábado e o santificou (Êx 20.8-11).

Deus nos conhece bem. Ele pode ver o dono do armazém lendo este versículo e pensando: "Alguém precisa trabalhar nesse dia. Se eu não posso, meu filho o fará". Então Deus diz: *Nem o teu filho*. "Então minha filha o fará". *Nem a tua filha*. "Bem, talvez um empregado". *Nem eles*. "Aposto como terei de mandar a minha vaca cuidar da loja, ou talvez arranje algum estrangeiro para ajudar-me". *Não*, proíbe Deus. *Um dia da semana você dirá não ao trabalho e sim à adoração. Você reduzirá o ritmo, sentar-se-á, e deitar-se-á, e descansará.*

Ainda objetamos: "Mas... mas... mas... quem ficará na loja?" "E quanto às minhas notas?" "Tenho a minha cota de vendas". Apresentamos uma razão após a outra, porém Deus silencia todas elas com uma pujante lembrança: "Em seis dias fez o Senhor os céus e a terra, o mar e tudo o que neles há, e ao sétimo dia descansou". A mensagem de Deus é clara: "Se a criação não se espatifou quando eu descansei, não se espatifará quando você o fizer".

Repita comigo estas palavras: Não é minha ocupação cuidar do mundo.

Cerca de dois séculos atrás, Charles Spurgeon deu este conselho aos seus aprendizes de pregador:

> Até os burros de carga devem virar-se para a grama ocasionalmente; o próprio mar faz uma pausa no fluxo e refluxo; a terra guarda o sábado dos meses de inverno; e o homem,

mesmo quando elevado a embaixador de Deus, deve descansar ou desfalecer, deve atiçar o lume de sua lâmpada ou deixa-la apagar-se; deve recuperar seu vigor ou envelhecer prematuramente... Na longa caminhada, devemos empenhar-nos para, de vez em quando, fazer menos. [5]

O arco não pode estar sempre tenso sem temer quebrar-se. Para um campo produzir frutos, deve, ocasionalmente, descansar sem cultivo. E para que você seja saudável, deve descansar. Diminua o ritmo, e Deus curará você. Ele trará descanso à sua mente, ao seu corpo, e, acima de tudo, à sua alma. Ele conduzirá você por verdes pastos.

Pastagens verdes não eram o relevo natural da Judéia. Os montes à volta de Belém, onde Davi guardava o seu rebanho, não eram verdes e viçosos. Ainda hoje, são pálidos e tostados. Qualquer pasto verde na Judéia é trabalho de algum pastor. Ele limpou o terreno tosco e rochoso. Os tocos foram arrastados, e os galhos, queimados. Irrigação. Cultivo. Assim é o trabalho de um pastor.

"Aninhe-se profundamente,
até ficar escondida, enterrada,
nos altos brotos do seu amor,
e lá você achará descanso".

Portanto, quando Davi diz: "Deitar-me faz em verdes pastos", está dizendo: "Meu pastor me faz deitar em seu trabalho terminado". Com as próprias mãos furadas, Jesus criou um pasto para a alma. Ele arrancou a espinhosa vegetação rasteira da condenação. Desprendeu o imenso seixo de pecado. Em seu lugar, plantou sementes de graça e cavou tanques de misericórdia.

E Ele convida-nos a descansar lá. Você pode imaginar a satisfação no coração do pastor quando, com o trabalho terminado, vê suas ovelhas descansar no gramado tenro?

Pode você imaginar a satisfação no coração de Deus quando fazemos o mesmo? Suas pastagens são uma dádiva para nós. Não é um pasto que você tenha feito. Nem é um pasto que você mereça. É um presente de Deus. "Porque pela graça sois salvos, por meio da fé; e isto não vem de vós; é dom de Deus" (Ef 2.8).

Em um mundo pedregoso, com uma humanidade falha, há uma terra viçosa com mercê divina. Seu Pastor a convida para lá. Ele quer que você se deite. Aninhe-se profundamente, até ficar escondida, enterrada, nos altos brotos do seu amor, e lá você achará descanso.

Cinco

"E SE" E "COMO POSSO"

O Fardo da Preocupação

Guia-me mansamente a águas tranqüilas.

SALMO 23.2

Seu filho de dez anos está preocupado. Tão ansioso que não pode comer. Tão inquieto que não pode dormir. "O que há de errado?", pergunta você. Ele balança a cabeça e geme: "Eu ainda não tenho um plano de pensão".

"E qual de vós poderá,

com todos os seus cuidados,

acrescentar um côvado

à sua estatura?"

MATEUS 6.27

Ou o seu filho de quatro anos está chorando na cama. "O Que há de errado, querido?" Ele choraminga: "Eu nunca vou passar na faculdade de química".

O semblante de seu filho de oito anos está carregado de estresse. "Eu serei um pai imprestável. E se eu for um exemplo ineficiente para os meus filhos?"

Como você responderia a tais declarações? Além de chamar um psicólogo infantil, a sua resposta seria enfática: "Você é jovem demais para preocupar-se com estas coisas. Quando chegar a hora, você saberá o que fazer".

Felizmente, a maioria das crianças não tem estes pensamentos.

Infelizmente, nós adultos temos mais que a nossa cota. A preocupação é o fardo de aniagem da carga. Ele transborda com "E se" e "Como posso". "E se chover em meu casamento?" "Como posso saber quando disciplinar meus filhos" "E se eu me casar com um sujeito que ronca?" "Como poderemos bancar a educação de nosso bebê?" "E se depois de toda a minha dieta, eles descobrirem que alface engorda, e chocolate não?"

O saco de estopa da preocupação. Incômodo. Grosseiro. Sem atrativos. Rangente. Difícil de manusear. Irritante de se carregar, e impossível de se largar. Ninguém quer as suas preocupações.

Verdade seja dita, nem você as quer. Ninguém tem de lembrar-lhe o alto custo da ansiedade. (Mas o farei de qualquer modo). A preocupação divide a mente. O termo bíblico para *preocupação* (merimnas) é um composto de duas palavras gregas: *merizo*, "divide", e *nous*, "a mente". A ansiedade reparte a nossa energia entre prioridades de hoje e problemas de amanhã. Parte de nossa mente está no agora; o restante, no ainda não. O resultado é meia mente vivendo.

"Deus está conduzindo você. Deixe até amanhã os problemas de amanhã".

BILHETE:

DATA:

ALIVIANDO A BAGAGEM

E esta não é a única conseqüência. Preocupação não é uma doença, mas causa enfermidades. Ela tem sido associada à pressão alta, problemas cardíacos, cegueira, enxaquecas, mau funcionamento da tireóide e inúmeras perturbações estomacais.

Ansiedade é um hábito dispendioso. Claro, poderia valer o custo, se funcionasse. Mas não funciona. Nossas inquietações são vãs. Jesus indagou: "E qual de vós poderá, com todos os seus cuidados, acrescentar um côvado à sua estatura?" (Mt 6.27). A preocupação nunca clareou um dia, nunca resolveu um problema, ou curou uma enfermidade.

Como pode alguém lidar com a ansiedade? Você pode experimentar fazer o que fez um companheiro. Ele preocupava-se tanto, que decidiu alugar alguém para preocupar-se por ele. Encontrou um homem que concordou em ser o seu empregado preocupador, por um salário de duzentos mil dólares ao ano. Depois que o homem aceitou o trabalho, a sua primeira pergunta ao patrão foi: "Onde você arranjará duzentos mil dólares por ano?" Ao que o patrão respondeu: "Esta preocupação é sua".

Lamentavelmente, preocupação não é uma tarefa que você pode repassar a outrem. Contudo, você pode superá-la. E não há lugar melhor para começar que no verso 2 do salmo do pastor.

"Guia-me mansamente a águas tranqüilas", declara Davi. E, caso percamos o ponto, ele repete a frase no versículo seguinte: "Guia-me pelas veredas da justiça".

"Guia-me". Deus não está atrás de mim, gritando: "Vai!" Ele está adiante de mim, convidando: "Vem!" Ele está à frente, roçando o pasto, cortando o mato, mostrando o caminho. Chegando à curva, Ele dirige: "Vire aqui". Antes da elevação, Ele gesticula: "Suba aqui". Parando perto das pedras, Ele adverte: "Cuidado ao pisar aqui".

"Não vos inquieteis, pois
pelo dia de amanhã,
porque o dia de amanhã
cuidará de si mesmo".

MATEUS 6.34

Ele nos guia. Diz-nos o que precisamos saber, quando precisamos sabê-lo. Como afirmaria um escritor do Novo Testamento: "Encontraremos graça *sempre que precisarmos de ajuda*" (Hb 4.16, NTLH, ênfase minha).

Ouça uma versão diferente: "Cheguemos, pois, com confiança ao trono da graça, para que possamos alcançar misericórdia e achar graça, a fim de sermos ajudados *em tempo oportuno*" (Hb 4.16, ênfase minha).

A ajuda de Deus é oportuna. Ele ajuda-nos do mesmo modo que um pai dá passagens de avião a sua família. Quando viajo com minhas filhas, levo todas as nossas passagens em minha mochila. À hora do embarque, ponho-me entre o atendente e as meninas. À medida que cada uma passa, coloco a passagem em sua mão. Ela, por sua vez, a entrega ao comandante. Cada uma recebe a passagem no momento exato.

O que eu faço por minhas filhas Deus faz por você. Ele se interpõe entre você e a necessidade. E na hora certa, dá a você a passagem. Não foi esta a promessa que Ele fez aos seus discípulos? "Quando, pois, vos conduzirem para vos entregarem, não estejais solícitos de antemão pelo que haveis de dizer; mas *o que vos for dado naquela hora*, isso falai; porque não sois vós os que falais, mas o Espírito Santo" (Mc 13.11, ênfase minha).

Não é esta a mensagem dada por Deus aos filhos de Israel? Ele prometeu supri-los de maná a cada dia. Aqueles que desobedeceram, e colheram maná para dois, acharam-se depois com maná apodrecido. A única exceção à regra era a véspera do sábado. Na sexta-feira, eles podiam colher o dobro. Por outro lado, Deus lhes daria o que eles necessitassem, na hora de sua necessidade.

Deus nos guia. Deus fará a coisa certa na hora certa. E que diferença isto faz!

Desde que sei que a sua provisão é oportuna, posso desfrutar o presente.

"Encare os problemas de hoje

com a força de hoje.

Não comece a atacar

os problemas de amanhã,

até que o amanhã chegue. Você ainda

não tem a força de amanhã.

Você só tem o

suficiente para hoje".

"Dê sua total atenção ao que Deus está fazendo agora, e não se preocupe com o que poderá ou não acontecer amanhã. Deus ajudará você a lidar com qualquer dificuldade que surgir, quando chegar a hora" (Mt 6.34, traduzido da versão inglesa MSG).

Esta última frase é digna de um marcador de texto: "Quando chegar a hora".

"Eu não sei o que faria se o meu marido morresse". Você saberá, *quando chegar a hora.*

"Quando os meus filhos saírem de casa, penso que não suportarei". Não será fácil, mas a força virá *quando chegar a hora.*

A chave é esta: Encare os problemas de hoje com a força de hoje. Não comece a atacar os problemas de amanhã, até que o amanhã chegue. Você ainda não tem a força de amanhã. Você só tem o suficiente para hoje.

Há mais de oitenta anos, um grande canadense da medicina, Sir William Osler, pronunciou um discurso aos alunos da Universidade de Yale, intitulado: "Um Modo de Vida". Na mensagem, relatou um fato ocorrido quando ele se achava a bordo de um navio a vapor.

Certo dia, quando conversava com o capitão do navio, ele ouvira soar um alarme agudo e estridente, seguido por sons estrepitosos e rangentes, abaixo do tombadilho. "São os nossos compartimentos à prova d'água se fechando", explicara o capitão. "É uma parte importante de nossas manobras de segurança. Em caso de problema real, a água que flui para um compartimento não afetará o restante do navio. Mesmo se colidirmos com um iceberg, como fez o *Titanic*, a água que entrar encherá apenas aquele compartimento rompido. O navio, todavia, continuará flutuando".

Quando falou aos alunos de Yale, Osler recordou a descrição do navio feita pelo capitão:

"Deus nos guia.

Deus fará a

coisa certa na

hora certa. E

que diferença

isto faz"!

BILHETE: | DATA:

ALIVIANDO A BAGAGEM

Cada um de vocês é, certamente, uma organização muito mais maravilhosa que aquele grande vapor, e com destino a uma longa e distante viagem. Meu desejo é que você aprenda a dominar a sua vida, vivendo cada dia em um compartimento à prova de tempo, e isto certamente garantirá a sua segurança através de toda a jornada da vida. Toque um botão e ouça, em cada nível de sua vida, as portas de ferro fechando-se sobre o Passado – os ontens mortos. Toque outro, e feche, com uma cortina de metal, o Futuro – os amanhãs por nascer. Então você estará seguro – seguro para hoje.

Não pense no monte de coisas a serem feitas, nas dificuldades a serem vencidas, mas concentre-se na pequena tarefa ao alcance de seu braço, deixando que ela seja suficiente para o dia; obviamente, o nosso dever não é cuidar do que está vagamente à distância, mas fazer o que está claramente à mão.[1]

Jesus tratou da mesma coisa com menos palavras: "Não vos inquieteis, pois, pelo dia de amanhã, porque o dia de amanhã cuidará de si mesmo. Basta a cada dia o seu mal" (Mt 6.34).

Fácil falar. Nem sempre é fácil fazer, certo? Somos demasiadamente propensos a nos preocupar. Justamente na noite passada estava preocupando-me em meu sono. Sonhei que fora diagnosticado com ALS, uma doença degenerativa dos músculos, que levou a vida de meu pai. Despertei do sono e, bem no meio da noite, comecei a me preocupar. Então as palavras de Jesus vieram-me á mente: "Não se preocupe com o amanhã". E por uma vez decidi não me preocupar. Arriei o saco de estopa. Afinal, porque deixar que os problemas imaginários do amanhã me roubassem o descanso da noite? Poderia eu prevenir a doença permanecendo acordado? Adiaria a aflição por ficar pensando nela? Claro que não. Então fiz a coisa mais espiritual que poderia ter feito: voltei a dormir.

“Não precisamos saber o que acontecerá amanhã. Precisamos saber apenas que Ele nos guia, e que ‘acharemos graça a fim de sermos ajudados em tempo oportuno’” (Hb 4.16).

Por que você não faz o mesmo? Deus está conduzindo você. Deixe até amanhã os problemas de amanhã.

Arthur Hays Sulzberger foi o editor do New York Times durante a Segunda Guerra Mundial. Por causa do conflito global, ele achava quase impossível dormir. E não foi capaz de banir da mente a preocupação, até adotar como lema estas cinco palavras: "Um passo basta a mim" – tiradas do hino "Lead Kindly Light".[2]

> Guia, Luz amável...
>
> Dirige Tu os meus pés
>
> Não peço para ver a cena distante
>
> Um passo basta a mim.

Nem Deus deixará você ver a cena distante. Então pode desistir de procurar por ela. Ele prometeu uma lâmpada para os nossos pés, não uma bola de cristal para o futuro.[3] Não precisamos saber o que acontecerá amanhã. Precisamos saber apenas que Ele nos guia, e que "acharemos graça a fim de sermos ajudados em tempo oportuno" (Hb 4.16).

*"Pensai nas coisas
que são de cima
e não nas que
são da terra".*

COLOSSENSES 3.2

Seis

LÁ FORA É UMA SELVA

O Fardo do Desespero

Refrigera a minha alma.

SALMO 23.3

Pergunto-me se você pode imaginar a si mesmo numa selva. Uma densa selva. Uma selva escura. Seus amigos o convenceram de que era tempo para uma daquelas raras viagens da vida, e aqui está você.

Você pagou a passagem. Você cruzou o oceano. Você alugou o guia, e juntou-se ao grupo. E você se aventurou onde nunca antes se aventurara: no profundo e estranho mundo de uma selva.

Parece interessante? Demos um passo adiante. Imagine que você está na selva, perdida a sozinha. Você parou a fim de amarrar os cordões da bota, e quando levantou os olhos, não havia ninguém por perto. Você arriscou, e foi para a direita; agora está se perguntando se os outros não foram para a esquerda. (Ou você foi à esquerda, e eles, à direita?).

De qualquer modo, você está sozinha. E você tem estado sozinha por... bem, você não sabe quanto tempo se passou. Seu relógio estava na mochila, e a sua mochila estava nos ombros do gentil rapaz de Nova Jersey, que voluntariamente a segurou, enquanto você amarrava as botas. Você não pretendia que ele a carregasse, mas ele o fez. E aqui está você, emperrada no meio de lugar nenhum.

Você tem um problema. Primeiro, você não foi feita para este lugar. Deixassem você num centro de avenidas e edifícios, você poderia farejar o caminho de casa. Mas aqui, nestes altos blocos de folhagem? Aqui, nestas trilhas escondidas por entre o mato? Você está fora de seu elemento. Você não foi feita para esta selva.

E o que é pior: você não está equipada. Você não tem facão. Não tem faca. Não tem fósforo. Não tem luz. Não tem comida. Você não está equipada, e acha-se numa armadilha. E não tem a menor idéia de como sair.

Parece-lhe divertido? Nem para mim. Antes de prosseguir, façamos uma pausa e indaguemos como você se sentiria. Em tais circunstâncias, que emoções viriam à tona? Com que pensamentos você lutaria?

Medo? Claro que sim.

Ansiedade? No mínimo.

"O Senhor te guardará

de todo mal;

ele guardará

a tua alma".

SALMO 121.7

Raiva? Posso entender isto. (Você gostaria de pôr as mãos naquela gente que a convenceu a fazer esta viagem).

Porém, acima de tudo, e quanto ao desespero? Nenhuma idéia de para onde se voltar. Nenhuma intuição do que fazer. Quem poderia culpar você por sentar-se num toco (melhor checar primeiro se não há cobras), enterrar o rosto nas mãos, e pensar: *Nunca sairei daqui*? Você não possui direção, nem equipamento, nem esperança.

Você pode congelar esta emoção por um momento? Você pode perceber, por um segundo apenas, como é sentir-se fora de seu elemento? Sem soluções? Sem idéias ou energia? Você pode imaginar, apenas por um momento, como é estar sem esperanças? Se você pode, poderá relacionar-se com muitas pessoas neste mundo.

Para muita gente, a vida é... bem, a vida é igual a uma selva. Não uma selva de árvores e feras. Assim seria simples. Fosse assim, nossas selvas poderiam ser cortadas com um facão, e nossos adversários capturados numa gaiola. No entanto, as nossas selvas compreendem as mais densas moitas de saúde enfraquecida, corações partidos e carteiras vazias. Nossas florestas são construídas de paredes de hospital e tribunais de divórcio. Não escutamos o gorjear dos pássaros ou o rosnar dos leões; ouvimos as reclamações dos vizinhos e as exigências dos patrões. Nossos predadores são os nossos credores, e os ramos que nos cercam, as agitações que nos exaurem.

Lá fora é uma selva.

E para alguns, mesmo para muitos, o suprimento de esperança é pequeno. O desespero é um fardo excedente. Ao contrário dos outros, ele não é cheio. É vazio, e a sua vacuidade produz o peso. Abra o zíper e examine todos os bolsos. Vire de ponta cabeça e sacuda bem. O saco do desespero é dolorosamente vazio.

"Se você tem uma pessoa com direção – que possa tirá-la deste lugar para o lugar certo – ah, então você tem alguém capaz de restaurar-lhe a esperança".

BILHETE: DATA:

Não é um quadro muito bonito, é? Vejamos se podemos clareá-lo mais. Já imaginamos as emoções de alguém perdido; acha que podemos fazer o mesmo com alguém resgatado? O que seria necessário para restaurar-lhe a esperança? O que você precisaria para reenergizar a sua jornada?

Embora as respostas sejam abundantes, três chegam rápido à mente.

A primeira seria uma pessoa. Não qualquer pessoa. Você não precisa de alguém igualmente confuso. Você precisa de alguém que conheça o caminho para fora.

E dele você precisa de alguma visão. Você precisa de alguém que lhe levante o ânimo. Precisa de alguém que lhe olhe nos olhos e diga: "Isto não é o fim. Não desista. Há um lugar melhor que este. E eu a conduzirei para lá".

E, talvez o mais importante, você precisa de direção. Se você tem apenas uma pessoa, mas não uma visão renovada, tudo o que você tem é uma companhia. Se ele tem uma visão, mas não direção, você tem um sonhador por companhia. Porém, se você tem uma pessoa com direção – que possa tirá-la deste lugar para o lugar certo – ah, então você tem alguém capaz de restaurar-lhe a esperança.

Ou, para usar as palavras de Davi: "Ele refrigera a minha alma". Nosso Pastor é especialista em restaurar a esperança da alma. Seja você uma ovelha perdida na borda de um penhasco, ou uma citadina atrapalhada, sozinha na selva espessa, tudo muda quando aparece o seu Salvador.

Sua solidão diminui porque você tem companhia.

Seu desespero decresce porque você tem visão.

Sua confusão começa a se dissipar, porque você tem direção.

Note, por favor: você não deixou a selva. As árvores ainda eclipsam o céu, e os espinhos ainda arranham a pele. Os animais espreitam, e os roedores correm. A selva ainda é uma

"Nosso Pastor
é especialista em restaurar
a esperança da alma".

selva. Ela não mudou, mas você sim. Você mudou porque tem esperança. E você tem esperança porque encontrou alguém que pode guiá-la para fora.

Seu Pastor sabe que você não foi feita para este lugar. Ele sabe que você não está equipada para este lugar. Então Ele veio a fim de conduzi-la para fora.

Ele veio para refrigerar-lhe a alma. Ele é a pessoa perfeita para fazer isso.

Ele tem a visão correta. Ele a lembra de que você é "como peregrinos e forasteiros neste mundo" (1 Pe 2.11). E Ele insiste para que você levante os olhos da selva à sua volta, para o céu acima de você. "Não prossiga arrastando-se com os olhos no chão, absorvida com as coisas à sua frente. Olhe para cima, e esteja alerta às coisas à roda de Cristo... Veja as coisas da perspectiva dele" (Cl 3.2, traduzido da MSG).

Davi disse o mesmo deste modo: “Elevo os olhos para os montes: de onde me virá o socorro? O meu socorro vem do Senhor, que fez o céu e a terra. Não deixará vacilar o teu pé; aquele que te guarda não tosquenejará. Eis que não tosquenejará nem dormirá o guarda de Israel. O Senhor é quem te guarda; o Senhor é a tua sombra à tua direita. O sol não te molestará de dia, nem a lua, de noite. O Senhor te guardará de todo o mal; ele guardará a tua alma. O Senhor guardará a tua entrada e a tua saída, desde agora e para sempre” (Sl 121.1-8).

Deus, o nosso libertador, tem a visão correta. Ele possui também a direção certa. Ele fez a mais audaciosa reivindicação da história do homem quando declarou: “Eu sou o caminho” (Jo 14.6). As pessoas se perguntam se a reivindicação é exata. Ele responde à indagação abrindo um caminho através da vegetação rasteira do pecado e da morte, e... escapando vivo. Ele é o único que já fez isto. E é o único que pode ajudar você e eu a fazermos o mesmo.

"Seu Pastor sabe que você

não foi feita para este lugar.

Ele sabe que você não

está equipada para este lugar.

Então Ele veio a fim de conduzi-la para fora".

Ele tem a visão correta: Ele avistou a pátria. Ele possui a direção certa: Ele abriu o caminho. Porém, acima de tudo, Ele é a pessoa certa porque Ele é o nosso Deus. Quem melhor conhece a selva senão aquEle que a criou? E quem conhece as armadilhas do caminho melhor que aquEle que já o trilhou?

Conta-se a história de um homem num safári, na densa selva africana. O guia adiante dele possuía um facão e ia cortando a vegetação alta e espessa. O viajante, cansado e bravo, perguntou frustrado: "Onde estamos? Você sabe aonde está me levando? Cadê o caminho?" O experimentado guia parou, olhou para trás e respondeu: "Eu sou o caminho".

Indagamos a mesma coisa, não? Perguntamos a Deus: Para onde estás me levando? Cadê o caminho? "E Ele, como o guia, não nos conta. Oh, Ele pode dar-nos uma sugestão ou duas, mas isto é tudo. Se Ele o fizesse, entenderíamos? Compreenderíamos a nossa situação? Não, assim como o viajante, somos alheios à selva. Então, em vez de nos dar uma resposta,

Jesus nos dá uma dádiva muito maior. Dá-nos a si mesmo.

Ele remove a selva? Não, a vegetação ainda é cerrada.

Ele elimina os predadores? Não, o perigo ainda espreita.

Jesus não dá esperança mudando a selva; Ele nos restaura a esperança dando-nos a si próprio. E Ele prometeu estar conosco até o fim. "Eis que eu estou convosco todos os dias, até a consumação dos séculos" (Mt 28.20).

Precisamos deste lembrete. Todos precisamos. Pois todos carecemos de esperança.

Alguns de vocês não precisam dela exatamente agora. A sua selva tornou-se uma campina, e sua viagem, um deleite. Se este é o seu caso, parabéns. Mas lembre-se: não sabemos o que o amanhã retém. Não sabemos aonde vai dar esta estrada. Você pode estar a uma curva de um cemitério, do leito de um hospital, de uma casa vazia. Você pode estar na curva da estrada para uma selva.

E embora você não necessite ter a sua esperança restaurada hoje, poderá necessitar amanhã. E você precisa saber para quem se voltar.

Ou talvez você precise hoje mesmo. Você sabe que não foi feita para este lugar. Você sabe que não está equipada. Você quer alguém que a tire daí.

Se assim é, chame o seu Pastor. Ele conhece-lhe a voz, e está apenas esperando por seu pedido.

Sete

UMA TROCA CELESTIAL

O Fardo da Culpa

Guia-me pelas veredas da justiça
por amor do seu nome.

SALMO 23.3

Um amigo organizou uma troca de biscoitos de natal para o staff de nossa igreja. O plano era simples. O preço da admissão era uma bandeja de biscoitos.

"Agora se manifestou sem a lei a justiça de Deus".

ROMANOS 3.21

Sua bandeja autorizava você a pegar biscoitos de outras bandejas. Você podia sair com tantos biscoitos quanto houvesse trazido.

Parece simples, se você sabe cozinhar. Mas se você não sabe? E se você não pode distinguir uma frigideira de uma panela? E se igual a mim, você é culinariamente desafiada? E se você se sente tão à vontade num avental quando um fisiculturista numa roupa de bailarina? Se este é o caso, você tem um problema.

Este era o caso, e eu tinha um problema. Não tinha biscoitos para trazer; conseqüentemente, não teria lugar à festa. Seria deixado de fora, mandado embora, evitado, afastado, rejeitado. (Você sente por mim?)

Esta era a minha condição.

E, perdoe-me por trazer isto à tona, mas a sua situação é até pior.

Deus está planejando uma festa – uma festa para festa nenhuma botar defeito. Não uma festinha de biscoitos, mas um banquete. Não risadinhas e bate-papo na sala de conferências, mas olhos arregalados de admiração na sala do trono de Deus.

Sim, a lista de convidados é impressionante. Sua pergunta para Jonas, sobre como é sofrer nas entranhas de um peixe? Você poderá interrogá-lo. Porém, mais impressionante que os nomes dos convidados é a natureza deles. Nada de egos, nada de poderio. Culpa, vergonha e tristeza serão detidas no portão. Doenças, morte e depressão serão a Peste Negra de um passado distante. O que hoje vemos diariamente, lá nunca mais veremos.

E o que hoje enxergamos de modo vago, lá enxergaremos claramente. Veremos a Deus. Não pela fé. Não através dos olhos de Moisés, ou de Abraão ou de Davi. Não por meio das Escrituras, ou do pôr-do-sol, ou das chuvas de verão. Veremos não o trabalho ou as palavras de Deus, mas Ele mesmo! Ele

Todos nós, ocasionalmente, fazemos o que é certo. Uns poucos fazem, predominantemente, o que é certo. Mas, alguns de nós faz sempre o que é certo? De acordo com Paulo, não. "Não há um justo, nem um sequer" (Rm 3.10).

não é o anfitrião da festa; Ele é a própria festa. A sua bondade é o banquete. A sua voz, a música. O seu resplendor é a sua luz, e o seu amor, o tema infinito da discussão.

Há apenas um empecilho. O preço da admissão é um tanto alto. Para comparecer à festa, você precisa ser justo. Não bom. Não descente. Não um contribuinte ou um devoto.

Os cidadãos do céu são justos. R-e-t-o-s.

Todos nós, *ocasionalmente*, fazemos o que é certo. Uns poucos fazem, *predominantemente*, o que é certo. Mas, alguns de nós faz *sempre* o que é certo? De acordo com Paulo, não. "Não há um justo, nem um sequer" (Rm 3.10).

Paulo é duro quanto a isto. Ele continua dizendo: "Não há quem faça o bem, não há nem um só" (Rm 3.12).

Alguém pode discordar. "Não sou perfeita, Max, mas sou melhor que maioria. Tenho me portado bem. Não quebro as regras. Não parto corações. Ajudo as pessoas. Gosto das pessoas. Comparada a outros, acho que posso dizer que sou uma pessoa justa".

Eu costumava tentar isto com a minha mãe. Ela me dizia que o meu quarto não estava limpo, e eu lhe pedia para vir comigo ao quarto do meu irmão. O dele estava sempre mais bagunçado que o meu. "Veja, meu quarto está limpo; dê uma olhada neste".

Nunca funcionava. Ela me levava ao quarto dela. Em se tratando de arrumar aposentos, minha mãe era justa. O seu armário era perfeito. A sua cama era perfeita. O seu banheiro era perfeito. Comparado ao dela, o meu quarto era... bem, totalmente errado. Ela mostrava-me os seus aposentos e dizia: "É isto o que eu chamo de limpo".

Deus faz o mesmo. Ele aponta para Si mesmo e diz: "É isto o que eu chamo de retidão".

Retidão é o que Deus é.

"Porque também Cristo
padeceu uma vez
pelos pecados, o
justo pelos injustos,
para levar-nos a Deus".

1 PEDRO 3.18

BILHETE: | DATA:

ALIVIANDO A BAGAGEM

"...pela justiça do nosso Deus e Salvador Jesus Cristo" (2 Pe 1.1).

"Deus é um juiz justo" (Sl 7.11).

"O Senhor é justo e ama a justiça" (Sl 11.7).

A justiça de Deus "permanece para sempre" (Sl 112.3), e "está muito alta" (Sl 71.9).

Isaías descreve Deus como "Deus justo e Salvador" (Is 45.21).

Na véspera de sua morte, Jesus começou a sua oração com as palavras: "Pai justo" (Jo 17.25).

Entendeu? Deus é justo. Os seus decretos são justos (Rm 2.5). As suas exigências são justas (Rm 8.4). Os seus atos são justos (Dn 9.16). Daniel declarou: "Justo é o Senhor, nosso Deus, em todas as suas obras, que fez" (Dn 9.14).

Deus nunca é injusto. Ele nunca se entregou a uma decisão errada, experimentou a atitude errada, deu o passo errado, disse a coisa errada, ou agiu do modo errado. Ele nunca está atrasado ou adiantado demais, nunca é demasiadamente barulhento ou suave, rápido ou lento. Ele sempre esteve e estará certo. Ele é reto.

E quando se trata de retidão, Deus percorre a mesa como um lance de tabela. Quando se trata de retidão, não sabemos qual extremidade do taco segurar. Daí a nossa condição.

Iria Deus, que é justo, passar a eternidade com aqueles que não o são? Iria a USP admitir um desistente da terceira série? Se o fizesse, o gesto poderia ser benevolente, mas não seria justo. Se Deus aceitasse o injusto, o convite seria ainda mais amável, mas estaria Ele sendo correto? Seria Ele justo por deixar passar nossos pecados? Baixar o seu padrão? Não. Ele não seria justo. E uma coisa que Deus é: justo.

Ele afirmou a Isaías que a justiça seria o seu prumo, o padrão

*"O Calvário é
um monte
feito de culpas".*

pelo qual a sua casa seria medida (Is 28.17). Se somos injustos, então seremos deixados na entrada, sem biscoitos. Ou, para usar a analogia de Paulo, "e todo o mundo seja condenável diante de Deus" (Rm 3.19). Então, o que vamos fazer?

Carregar um fardo de culpa? Muitos o fazem. Muitos mesmo.

E se a nossa bagagem espiritual fosse visível? Suponhamos que a bagagem de nosso coração fosse literalmente vista pelas ruas. Sabe o que mais veríamos? Malas de culpas. Bolsas estufadas com bebedeiras, explosões e compromissos. Olhe à sua volta. O camarada com o terno de lã cinza? Está arrastando uma década de pesares. O menino de calça jeans e argola no nariz? Daria qualquer coisa para retirar as palavras que disse à mãe. Mas não pode. Então ele as reboca adiante. A mulher num tailleur executivo? Parece que ela poderia concorrer para senadora. Na verdade, preferiria correr por socorro, mas não pode correr por nada. Não, arrastando aquela mala de remorso aonde quer que vá.

Ouça. O peso do cansaço abate você. A autoconfiança desencaminha você. Os desapontamentos desencorajam você. A ansiedade contamina você. A culpa? A culpa consome você.

Então, o que fazemos? Nosso Deus é correto, e nós somos errados. A sua festa é para inocentes, e estamos longe disso. O que fazemos?

Vou contar-lhe o que fiz. Confessei a minha necessidade. Lembra-se do meu dilema sobre os biscoitos? Veja o e-mail que enviei a todo o staff. "Não sei cozinhar, por isto não poderei estar na festa".

Alguma das assistentes teve piedade de mim? Não.

Alguém do staff teve pena de mim? Não.

Alguém da Suprema Corte de Justiça teve misericórdia de mim? Não.

Porém, uma piedosa irmã da igreja teve compaixão de mim. Não sei como ela soube do meu problema. Talvez meu nome achou seu caminho numa lista de oração. O que sei é que momentos antes da celebração eu recebi um presente: um prato de biscoitos, doze círculos de bondade.

E em virtude daquele presente, fui privilegiado com um lugar à festa.

Se eu fui? Pode apostar seus biscoitos que sim. Como um príncipe carregando uma coroa numa almofada, carreguei o meu presente para dentro da sala, coloquei-o na mesa, e fiquei de cabeça erguida. Porque uma boa alma ouviu o meu apelo, foi-me dado um lugar à mesa.

E porque Deus ouve o seu apelo, ser-lhe-á dado o mesmo. Só que Ele faz mais – oh, muito mais – que assar biscoitos para você.

Foi, ao mesmo tempo, o momento mais belo e o mais horrível da história. Jesus de pé, no tribunal do céu. Passando a mão sobre toda a criação, Ele defendeu: "Puna a mim pelos

"Se Deus aceitasse o injusto, o convite seria ainda mais amável, mas estaria Ele sendo correto? Seria Ele justo por deixar passar nossos pecados? Baixar o seu padrão? Não. Ele não seria justo. E uma coisa que Deus é: justo".

seus erros. Vê o assassino? Dê-me a sua pena. A adúltera? Eu levarei a sua vergonha. O fanático, o mentiroso, o ladrão? Faça a mim o que farias a eles. Trate-me como tratarias um pecador".

E Deus o fez. "Porque também Cristo padeceu uma vez pelos pecados, o justo pelos injustos, para levar-nos a Deus" (1 Pe 3.18).

Sim, reto é o que Deus é, e, sim, reto é o que nós não somos, e, sim, retidão é o que Deus requer. Mas, "agora se manifestou sem a lei a justiça de Deus" (Rm 3.21).

Davi disse o mesmo desta forma: "Guia-me pelas veredas da justiça" (Sl 23.3).

A vereda da justiça é um trilha estreita, sinuosa, subindo um monte íngreme. No cume do monte há uma cruz. Ao pé da cruz estão os fardos. Incontáveis fardos cheios de inumeráveis pecados. O Calvário é um monte feito de culpas. Gostaria de levar a sua para lá também?

Um último pensamento sobre a festa do biscoito. Todos sabiam que eu não fazia biscoitos? Se não sabiam, eu lhes contei. Contei-lhes que estava presente em virtude do trabalho de outra pessoa. A minha única contribuição fora a minha confissão.

Estaremos dizendo o mesmo por toda a eternidade.

NOTAS

Capítulo 3: A Prisão do Querer

1.Randy C. Alcorn, *Money, possessions, and Eternity* (Wheaton, Ill.; Tyndale Publishers, 1989), 55.

2.*Chris Seidman,* Little Buddy *(Orange, Calif., New leaf Books, 2001), 138. Usado com permissão.*

3.Rick Atchley, "I Have Learned the Secret", audiovisual 7 da Perperndine Lecture 1998 (Malibu, Calif.,1997). Usado com permissão.

Capítulo 4: Eu lhe Darei Descanso

1.Robert Sullivan, "Sleepless in América", Life, *fevereiro de 1998, 56-66 e* Prime Time Live, *2 de março de 1988.*

2.Sullivan, "sleepless, 63.

3.Idem.

4.Phillip Keller, A Shepherd Looks at Psalm 23 *(Grand Rapids, Mich.: Zondervan Publishing, 1970; reedição, em* Phillipe Keller: The Inspirational Writings, *New York: Inspirational Press, 1993), 28,29 (as citações da página são da reedição).*

5. *Helmute Thielicke,* Encounter with Spurgeon, *trad. John W. Dobertein (Philadelphia: Fortress Press, 1963; reedição, Grand Rapids, Mich.: Baker Book House, 1975), 220 (a página citada é da reedição).*

Capítulo 5. "E Se" e "Como Posso"

1. *Og Mandino,* The Spelbinder's Gift *(New York: Fawcett Columbine, 1995), 70,71.*

2. *De "Worrier and Warrior", um sermão de Ted Schroder, Christ Episcopal Church, San Antonio, Texas, em 10 de abril de 1994.*

3. *Veja Salmos 119.105.*